# Admin小妹
# 職場爆樽手記

圖・文 Manda 著

# 序

　　小妹要我寫序，我不想長篇大論，不如簡單一點，鼓勵她一下！

　　從閒談中得知小妹的理想是做插畫師，所以轉職來做Designer。我不知道她日後會否成功，但至少已踏出了第一步！我相信每個人心底裡都有自己的理想或慾念想去追求，問題是：你是否夠膽去幹！

　　熱血的電影無論幾感人，都係得一兩個鐘！但現實生活中，你可以為自己的理想付出多少和堅持多少年？我只可以說，只要抓到機會，你就要忘我地為自己的理想向前衝！咁失敗咗點算？值得嗎？我點識答你呀！答案和意義，就需要你自己去找尋！

　　我只知道如果你肯去追，你有機會贏！如果停滯不前，又如何體會生命的真正意義！畢竟，充滿起伏的人生，不是更有趣嗎？

　　最後，希望大家可以在觀看小妹作品的同時，會欣賞她背後付出的努力！

超媒體出版
Senior Editor
*Roland Wong*

3

## 自序 —— 誤打誤撞入咗行

有時朋友問起我返咩工,當大家知道我嘅工作係 Admin(Administrative Assistant),都會不約而同地問:「Admin 其實係要做咩?」,而有啲朋友更會直接話:「係咪即係打雜?」

「燈泡燒咗搵 Admin。」

「廁所塞咗搵 Admin。」

「訂文具搵 Admin。」

這些都是大家對 Admin 工作的普遍印象,總之認為工作是多樣化又瑣碎,多數更被認為「人人都做到」的工作!

講到 Admin 工作似沒有難度般,那到底 Admin 有甚麼要做的?

其實 Admin 沒有特別界定一定是做什麼工作,大至全公司的電話系統、公司裝修、冷氣系統;到各式器材如影印機、碎紙機、會議室影音系統、公司一草一畫的擺設;小至 Pantry 設備、全公司上下的文具、卡片、過時過節的裝飾餅食安排……等等都屬於 Admin 的工作。

還有所有保養、故障損壞失靈的維修、合約續期等的後續事項通通都是 Admin 跟進處理的。

因此 Admin 的「價值」就是為了使公司內部運作更暢順，主要作為後勤支援處理公司各類瑣碎事，俗稱「公司管家婆」！

有好多人話做 Admin，即係公司「打雜」一名，而小妹就覺得，呢種「打雜」並非人人做得來，更唔好睇小佢哋！雖然要勝任 Admin 的工作，難度好像不高，但要做好 Admin 這份工作就需要高 EQ、有耐性、不怕麻煩、鍾意煩住同事、喜歡多管閒事、夠八卦……

對我而言，Admin 是每間公司不可缺少的角色！因為每個人都會搵你幫手……做啲濕碎嘢。

而我當初就係白紙一張，咩都唔識，符符碌碌咁喺職場中不停撞板、不停被拯救，開展咗數年嘅 Admin 小妹撞板生涯。

我要做好呢份工！

# 目錄

序      2

自序      4

## Part 1 日常篇

**01** 文具拎多件都要問點解      9

**02** Office 雷達最強天文台      12

**03** 「行街」係我嘅例行公事      15

**04** 迫人參加嘅公司活動      19

**05** 追你交嘢我都唔想㗎      21

**06** 愛下廚的老闆娘      24

## Part 2 學習篇

**07** 時間管理的藝術      27

**08** 留 Contact 的重要性      30

**09** 同大廈職員要打好關係      32

**10** 揀廁紙都大有學問      34

**11** 新人返工之唔記得咩名      36

**12** 工作不能忘了 Follow-up      38

**13** 唔好做 Yes Man      40

## Part 3 人事篇

**14** 同事收風嘅目標      43

**15** 員工卡睇到扮睇唔到      46

**16** 老屎忽之唔畀熄冷氣      50

**17** 咩都投訴一餐　　52

**18** 上司之間嘅暗湧　　54

**19** 千奇百趣公司便服日　　56

**20** 被迫走的同事　　58

**21** Probation 前後的樣子　　60

**22** 特立獨行嘅神奇同事　　62

**23** 炒人前的風平浪靜　　64

# Part 4 痛苦篇

**24** 廁所塞咗都關我事？　　68

**25** 加紙好難咩？　　72

**26** 人格分裂的清潔阿姐　　75

# Part 5 爆樽篇

**27** 弊傢伙，訂錯咗！　　78

**28** Double Confirm 的重要性　　81

**29** 協調的學問　　83

**30**「送水」處理上嚟都唔簡單　　86

**後記**　　89

# Part 1
# 日常篇

**01**

日常篇

## 文具拎多件都要問點解

　　每個同事入職嘅時候都會畀一套最基本要用嘅文具，例如：原子筆、鉛筆、擦膠同記事簿。管理文具係行政部的職責，而公司嘅大文具櫃亦會上鎖，所以每次同事需要拎文具都需要向行政部攞。

　　行政部每個月都會一次過訂晒公司需要嘅文具，但其實每次訂嘅種類同數量都差不多，通常例行訂嘅都係原子筆、原子筆芯、膠紙、記事簿，因為呢啲係新人入職必備嘅文具，所以消耗得最快。

因為公司規矩，為了有效監管文具的使用情況，每個同事拎完文具都要在表格上「留名」，表面上為了記錄文具使用量，而實際上是為了避免同事拎文具的次數過多。可能你會問：「一個同事拎得幾多文具啊？拎支筆都要寫名留 Record，好麻煩啫！」其實我初時都係咁諗，但之後發生咗一件事就令我改變了想法。

　　有一次，有個同事原本拎一個 File，但過一陣想轉拎一包 12 個嘅 File。我好奇一問之下，原來同事諗住拎定一包擺喺 Team 到畀其他同事拎，唔駛每次都出嚟問行政部攞。聽完同事嘅理由，我覺得可以方便到同事，正打算照畀一包 File 同事，剛巧阿姐路過見到，即刻 Stop 咗我，再叫同事用完一個先出嚟再拎。

　　之後，阿姐同我解釋番：「Admin 係負責把關，所以你要幫公司控制資源，唔可以同事要咩就畀咩佢。如果放任同事拎定多啲文具做 Spare 而行政部又唔理，咁行政部就會形同虛設。」

　　我聽完後恍然大悟，原來一個小小的舉動會有咁深嘅影響，亦對行政部的作用有更深的了解。之後，我都有意識去留意同事的拎文具次數，而上次拎一包 File 嘅同事，唔知係咪俾阿姐訓話完，有一段時間都唔見佢出嚟拎文具。

11

## 02
### 日常篇

## Office 雷達最強天文台

如果你問我，辦公室入面邊個收風最勁，我會答清潔阿姐！

唔好睇少清潔阿姐喺到吸吓塵、抹吓玻璃、抹吓枱，做埋啲手板眼見功夫嘅嘢就可以對佢置之不理，咁就錯啦！佢哋有個先天優勢就係同每個人都冇利益衝突，同每個人都傾到計。加上工作位置不受限制，不論喺老闆房定小職員嘅位，全部都來去自如，每日如是地將各方消息收過不停，形成公司最強收風頻道！

因為工作關係，我成日都要夾清潔阿姐梅姨做嘢，平時得閒都會同佢吹吓水，所以成日都會聽到啲公司八掛嘢，「May琴日開會俾人鬧到喊」、「Kathy同John好似有啲嘢」、「Fanny呢排咁鍾意食酸嘢，佢係咪有咗？」。雖然我唔鍾意講人是非，但聽得多都可以了解辦公室發生緊咩事。

初入職場成日都聽人講「一入職場深似海」，所以辦公室人事真係一件好煩嘅事。有日同梅姨交帶完工作之後，佢細細聲同我講：「你知唔知A Team嘅David差啲俾人炒？」究竟係因咩事令到入職半個月都冇嘅David面臨被炒危機？原來有一日，秘書幫老闆買咗兩盒西餅畀客人食，兩隻手都拎住嘢仲邊有手開門，佢就行喺David後面，而David就好唔醒目咁入咗門口就算，冇留意到後面仲有秘書，所以冇幫佢頂住大門。「之後佢黑晒面呀，仲即刻搵咗David個上司添！」梅姨愈講愈興奮。之後David俾人叫咗入房「照肺」，出嚟仲眼濕濕。雖然冇幫人開門又未至於要被炒嘅，但因為對象係老闆身邊嘅紅人，得罪佢都唔駛旨意有運行啦。

因為我幾乎同辦公室每個人都有接觸，所以了解辦公室入面發生緊咩事、同事之間嘅人物關係，都方便自己做嘢，避免踩中地雷，而梅姨就係一個好好嘅收風渠道！

May 尋日開會俾人鬧到喊啊！

Kathy 同 John 好似有啲嘢⋯⋯

Fanny 呢排咁鍾意食酸嘢，佢係咪有咗？

## 「行街」係我嘅例行公事

「我成日都見到小妹你好得閒喺公司行嚟行去喎。」

曾經有幾個相熟嘅同事唔只一次咁同我講。無錯！身為公司行政大總管身邊嘅小助理，每日都要對公司每個角落嘅變化夠敏銳。由光管燒咗一支、門鐘冇聲、玻璃上有污漬抹唔乾淨，甚至盆栽泥土好乾冇淋到水，都要快人一步察覺到，然後儘快解決！

記得我初初都係成碌木咁，對於辦公室嘅一切都係唔多留意，同事話邊到壞、邊支燈管燒咗，我收到 Order 先

安排人去整。當時嘅我覺得咁做係無問題，起碼解決得到同事嘅問題，完成咗件事先，但這一切阿姐都看在眼內……

有一日，我同同事食完飯興高采烈咁行返埋位，阿姐突然黑住面同我講：「公司有啲嘢壞咗，你搵下喺邊到。」然後就行開咗。我心諗：「有嘢換咪講囉，玩捉迷藏？」咁我當然唔夠膽直接叫阿姐畀答案我，唯有喺公司周圍走，睇下究竟係咩壞咗。

水機？唔係呀，撳到水出嚟。

冷氣機唔夠凍？唔係呀，Office 個個同事都着緊褸，公司好凍。

我搵嚟搵去都搵唔到個答案，跟住我就細細聲叫埋同Team 嘅 Betty 同我一齊搵究竟係邊到出咗事。

兩個人，四隻眼，行勻全公司嘅每一個角落，行埋廁所、會議室，都係搵唔到有咩有問題……

如果直接同阿姐講「唔知」，一定會畀阿姐轟炸，所以點都要畀啲「答案」佢：「我見 B Team 上面嘅光管有啲暗，好似就嚟壞，係咪支光管要換？」

阿姐聽完之後面色一沉，然後捉咗我行去會議室前面，問：「咁都見唔到？」

我左望右望，真係見唔到有咩問題，正想投降之際……點解個鐘係 11 點嘅？宜家應該係 2 點喎。

原來係個鐘冇電！

「啊！個鐘要換電。」我指住個鐘，再望一望阿姐。

阿姐聽到我嘅答案之後，繃緊嘅面部表情終於緩和咗落嚟。「你唔應該要我提先發現，做 Admin 要一眼關七，多啲留意公司嘅每一處，唔可以淨係坐喺自己個位到不問世事，要多啲行公司睇下咩環境！」

對於阿姐今次嘅突擊檢查，令我自覺要訓練更敏銳嘅觀察力。於是，每日我都會特登抽時間去「行街」，由公司頭行到公司尾，而同事就會錯覺我成日好得閒喺公司到遊街。

我請你返嚟係同我解決問題，唔係製造問題！總之你要同我死掂佢！

自從俾阿姐訓話完之後，
我每日返工一踏入 Office 就會進入「作戰狀態」！

然後開展我嘅「行街」行動

燈冇燒，正常！

垃圾袋換咗！

個個都着褸，
冷氣機正常！

跑跑跑

小妹最近係咪好大壓力？
做咩咁神經質走嚟走去？

跑跑跑

## 迫人參加嘅公司活動

老闆為咗提升員工對公司的歸屬感,總會安排很多「工餘活動」,如:Team Building、運動日、行山日等等。而事實是員工通常都對辦公時間以外的活動都不感興趣,不想被佔用假日的時間,因此參與程度都不高。我都好明白,平時返工已經好忙,放假就當然想陪家人或與朋友出去玩,又點會想應酬老闆呢?

根據行政部幾次組織公司活動的經驗,除非是「硬性」規定員工參加,否則活動都會因參與人數不足而取消。

老闆當然不滿意這個結果，但為了維持著老闆民主的形象，就會「夾」行政部要鼓勵同事多啲參與公司活動。而「夾」是一層壓一層，所以到最後就係我被「夾」到要辦得成活動。

有次老闆突然很即興地就跟我阿姐說 Book 了個羽毛球場，可以叫同事去打羽毛球。阿姐就直接把事交給我處理，再加一句：「老闆 Book 咗場，你明㗎啦！」我望一望日期，係每個人都趕著收工去坑的 Happy Friday。

就係咁，我騎虎難下咁接了這個 Mission Impossible 的活動。果然，活動電郵傳了給大家之後，就好似石沉大海咁，一啲聲氣都無。再過了一天，都只係得兩個同事參加，距離目標人數仲差幾個。我就按捺不住，開始「威迫利誘」一些相熟的同事去參加，再叫他們拉埋其他同事一起去。

最終，在一拉一的情況下，終於「夾」夠人去參加，雖然中間打咗唔少人情牌，但我總算勉強完成咗今次嘅「任務」。

## 日常篇

# 追你交嘢我都唔想㗎

雖然我喺 Admin 小妹，但除咗負責行政工作外，仲要兼顧部分 HR 的工作，例如處理每天員工的請假、遲到記錄，每個月要定時出員工出勤記錄，如果記錄中有一天的上班時間是空白，就要追回到底那天是外出開會還是什麼原因，若遲遲不回覆的話就會直接當缺席而扣假。

一開始我覺得這種公事公辦的方式都幾不近人情，因為同事可能放工忘記拍員工卡而離去，令記錄上沒有放工記錄。若同事不在三天內回覆電郵說明原因，我就可直接

扣假處理，乾手淨腳地完成工作。偏偏我心中會泛起惻隱之心，總覺得同事因為忘記拍卡而被扣假好慘，所以會在截止回覆日期前，再不厭其煩咁溫馨提示同事們要覆我出勤缺席的電郵。

久而久之，我開始覺得這份差事吃力不討好，明明係同事自己的問題，現在反而是我比他們更緊張，日追夜追他們回覆，但同事並沒有「感激」你，反而覺得你好煩。

突然間，我終於明白為何阿姐當時教我在處理這些事上不用投放太多感情，公事公辦地扣假即可。終於。我決定狠下心來，不再提醒同事，若在期限內不回覆就直接扣假處理。最初同事都會怪我為何不像以往般提他們，漸漸地同事已習慣我這種乾淨利落的處理模式，總之一切按本子辦事。

之後我發現同事準時回覆電郵的次數大大增加，所以人是不是不要對他們太好？對得太好反而不珍惜？

又唔覆我 email，直接扣假好衰咁，等我提下佢哋先！

你哋記住今日要覆我 email 啊！

好忙喎，再等等啦～

又追？我明明每次都有拍卡走！

（無視）

覆吓 email 係咪真係咁難！！！

憤怒 mode

OK，公事公辦。

## 日常篇

## 愛下廚的老闆娘

公司經常會傳來一陣又一陣美食的香味，可這不是午膳時間微波爐傳來的飯香，而是因為公司老闆娘總愛在辦公室裡整幾味。有一個很愛下廚的老闆娘，表面好處是可以食好西，但其實會把公司弄得烏煙瘴氣。

老闆娘不是經常回公司，而每次見到她就是代表今天又「開飯」啦！由於我經常要在辦公室裡走來走去，所以成日會見到老闆娘在 Pantry 煮嘢食的過程，有時見佢好似食神上身咁、手起刀落、好專注，完全忘記了身在辦公室。

有次老闆娘在中午回來，手裡帶著一袋二袋，很快已在 Pantry「開壇作法」，左邊是一堆肉、右邊是一堆調味料，左弄右弄好像很忙。

我上前一看，問：「是在焗豬嗎？」

老闆娘轉頭一看，笑著說：「不是，是焗羊架！」

睇嚟一陣成個下午辦公室都會充斥住肉味，我心諗。

其實同事已經開始對老闆娘將公司變成自己嘅私人廚房幾有微言，每次焗完食物都會令公司有陣油煙味，而氣味亦會很難散走，但礙於主角是「娘娘」，所以大家都不敢投訴，只敢暗暗討論。

終於，都係阿姐忍唔住出聲。

阿姐事後同我講番，原來老闆都唔想佢老婆成日係公司整嘢食，尤其係整肉類食物，但又唔想自己開口講，就叫阿姐「溫馨提示」老闆娘唔好整啲咁重口味嘅食物。

之後，愛下廚的老闆娘當然係有空繼續在公司享受煮嘢食嘅樂趣，只不過由「重口味」嘢食轉變為「輕食」，例如三文治、沙拉等，總算給回公司「清新的空氣」。

## 時間管理的藝術

隨住入職的時間愈長，要處理的事亦愈來愈多，各種已安排好或突如其來的事，總會同一時間出現，我開始失去方向。

經過幾次要交的工作交不出、待辦的工作遲遲未開工，待辦清單愈寫愈長，連自己也忍受不了這種混亂的情況，但又忙於每天處理各種突發事，無暇停下來整頓已失控的工作模式。

而阿姐終於忍唔住，又召見我。

「小妹你手頭上做緊咩 Task ？」阿姐問。

我開始諗到咩就講咩：「要整 ISO Report、Update Phone List、交水牌表格落管理處、有幾個同事頭先話要印卡片……」

「停一停。」阿姐中斷咗我然後接著說：「我留意到你最近急的事交不到，不急的事你又花好多時間去做。」

「因為每日都有好多突發事，所以會先處理。」我連忙解釋。

「你覺唔覺得自己好似『盲頭烏蠅』咁？好似好忙，但其實每件工作都有頭無尾？」阿姐問。

「其實我每日都安排好當天要做的工作，但經常有突發事件出現，好似頭先有幾個同事話要印卡片，咁我就會分心去處理卡片的事……」我好委屈咁將埋藏在心中的煩惱一次過說出來。

阿姐見我突然大爆發，嘆了一口氣，說：「其實 Admin 係會處理好多瑣碎的事，有時甚至會同一時間出現，但出現並不等於要馬上處理，咁就要靠你自己判斷事情的緩急輕重，將待辦事情按先後次序和緩急排列，務求在有限的時間內把事情真正完成。」

阿姐繼續說：「你要花時間想清楚自己的工作流程，

對每件工作 Set 個 Deadline。把時間管理好，先唔會被事情追住走！」

　　阿姐的一番教導令我陷入沉思，是不是我沒有分清楚事情的先後次序，才令我無法掌控事情的節奏？

　　之後，我嘗試將自己嘅工作分番先後次序，按照自己的步伐做事，雖然中間都係有突如其來的事在同一時間出現，但由於我人就得一個，手都只係得一對，如事情不是要立即解決的話，我會放在待辦清單裡，之後再按次序逐件事 KO。雖然要辦的事情仍有很多，但分了緩急次序後，慢慢我也不再像「盲頭烏蠅」般周圍亂飛了！

## 留 Contact 的重要性

「但凡和工作有關聯的人，都要留下聯絡資料。」這是我從阿姐身上學到的很有用習慣，看似沒有甚麼特別，卻在關鍵時派上用場。

有次小妹幫公司在網上訂名片座，收件時速遞員同我講：「仲有 4 件包裹嚟緊。」點解會分開咗咁多件包裹？但我手上就只有一個提單編號，於是再追問速遞員：「咁之後嘅 4 件包裹幾時到？」「唔知喎，你自己睇單編號啦。」速遞員邊講邊打算走。我當然唔畀佢走住，「抄牌」

拎咗佢聯絡電話，起碼有事起嚟可以搵到佢幫手！

之後包裹一直遲遲未到，由於聯絡買家沒有回覆，我又只有一個提單編號，網上 Check 又顯示這編號已提貨，完全追蹤不到包裹，連打去界總台問都話無資料！究竟消失的包裹在哪裡？在我苦惱如何解決之際，突然諗起留咗速遞員個電話，不如試下打電話界佢幫手跟下！

速遞員知道我嘅包裹仍未搵到，就話幫手再搵下，不過都話有可能搵唔番。隔咗一陣，速遞員打番俾我話搵得番！原來真係拆開咗幾個提單編號，但因為我們沒有編號所以取不了貨，所以貨物就待在無人認領區內。而速遞員就嘗試用我們公司地址 Check 吓，就無意中找到了消失的包裹！

幸好當時留了速遞員的電話，否則都搵唔番包裹！原來留下聯絡資料，真係咁有用，會在無意間派上用場！

咪走住！
畀你電話我！

31

## 同大廈職員要打好關係

　　同人保持良好關係，有時會有意外收穫，而作為公司的 Admin 小妹，要經常與公司大廈的管理處、清潔姐姐「打交道」，有時遇到公司設備上或其他事上，他們都有機會幫到手。

　　有次公司搬樓層，單位入面有好多較老舊嘅傢俬，而老闆就想趁住搬遷而將傢俬全扔掉，但因為數量都多而且體積都幾大，阿姐計過條數發現 Call 人上門收都幾貴，起碼 $4,000。老闆見到個價當然不滿意，要阿姐諗諗計，價

錢唔喺問題，最緊要平！

　　有時跟阿姐出去做嘢，喺大堂到見到管理處嘅保安都會吹水傾計。嗰次咁啱同保安講起公司有一大堆傢俬都唔知點處理，保安同我阿姐話大廈負責清潔嘅叔叔可能幫到手。因為啲傢俬都幾新淨，二手賣出去都可以賣到個好價錢，加上我哋平時都有同清潔嘅叔叔傾兩句，搵佢幫手都算「一家便宜兩家著！」最後清潔叔叔只收我們 $1,000 搬運費就幫手處理棄置的傢俬！

　　所以話，平時同大廈的職員打好關係真係好重要！

請你嚟係幫我做嘢，唔係嚟學嘢呀！

**10**

學習篇

## 揀廁紙都大有學問

廁紙係日常必需品,但如何選擇好用又抵買嘅廁紙就係一門學問。我喺踏入 Admin 呢一行之前,平時都有幫阿媽買吓日常用品,諗住幫公司買廁紙應該都難我唔到,但原來揀廁紙都唔容易。

有一次,阿姐問起我覺得公司用緊嘅廁紙質量好唔好,我就簡單咁答:「都幾好。」阿姐聽完之後就開始發表佢對廁紙嘅睇法:「我雖然會考慮價錢,有特價時都會試吓唔同牌子,但最著重是廁紙的堅韌度,最好唔咁薄。

要摸一摸、捏一捏。有啲廁紙摸上手好淋，感覺紙質好鬆散，雖然有話三層，但可能三層都好薄。仲有，堅韌和吸水都重要，有啲一濕水就散晒。」真係令人聽到頭都大埋，買廁紙都要咁有研究？

之後阿姐話要試其他牌子嘅廁紙，仲叫我搵啲供應商拎啲廁紙 Sample 做個廁紙比較圖表。為咗要做個比較圖表，我好似回到中學時代做化學實驗咁，研究邊個牌子嘅紙巾沾水後唔會散晒，又要計每卷紙平均每克幾錢……最緊要平靚正！

小妹咁辛苦做乜？其實最重要都係為公司慳錢，用有限的 Budget，買到最有品質的公司日用品，其次也是為了同事們著想，等佢哋如廁時都暢快啲，真係用心良苦！

你第一日出來做嘢呀？
唔係要人教呀？！

## 學習篇

### 新人返工之唔記得咩名

　　每次有新人返工的早上都係我最忙嘅時候，由前期準備員工卡、文具、安排座位、準備 Personal File 畀阿姐；到返工當天要早啲返工、接待新同事、畀 Form 佢填；到新同事簽完約後，要帶佢哋行勻公司「遊花園」，先算完成晒整個新人返工嘅行政程序。

　　對我嚟講，「遊花園」呢 Part 就最易甩轆。所謂「遊花園」即係向每個同事介紹新入職嘅同事，如果新同事人數不多，我仲可以記到佢哋嘅名，然後逐一介紹。但當人

數眾多，加上未認清新同事嘅樣子，就好易叫錯人名。

有次，一次過有三個部門嘅新同事返工，總共有 7 個人。當我浩浩蕩蕩咁帶住一行 7 人遊走公司介紹時：

「佢喺 Marketing 新同事 Ray。」我指住「Ray」。

「我叫 Alex。」嗰位「Ray」突然揚聲。

空氣凝固咗兩秒。

咁我緊係扮無嘢，繼續介紹。

「佢喺 Sales Team 新同事 Ken。」我指住 Ken。

「咦？我應該係 Marketing Team。」Ken 滿臉疑惑咁望住我。

空氣又再次凝固咗兩秒。

身為一個專業嘅 Admin 必須要臨危不亂，所以我輕咳一聲，對住大家講：「今日新同事人數眾多，我都係交番畀大家自我介紹。」

接下來，大家按次序自我介紹，場面就回復正常了。所以，要做 Admin 除咗要好有記性之外，仲要好認得人！否則，將新同事名撈亂晒，情況都幾混亂同尷尬。

**12**

學習篇

## 工作不能忘了 Follow-up

　　每日開始工作之前，我都會寫下今天一定要完成的 To do list，以防在眾多瑣碎事中忘掉重要的工作。每次最期待就是完成了待辦事項的項目，然後狠狠地用原子筆把已完成的事刪走。

　　「可刪走並不代表完成，重要的在後頭，就是 Follow-up。」這是阿姐成日在我耳邊不停說的話。

　　有次，大秘書好急要交份好重要嘅招標書，但剛巧負責送件的同事已外出工作，阿姐就搵我幫手外出送文件，

咁我就停低手上嘅工作，快速地把文件送出。

　　送完文件後回到公司我就繼續做自己的工作。突然電話響起，一聽原來是大秘書：「你送完文件點解唔同我講番聲？知唔知份招標書好重要，一定要4點前送到……」（下刪三千字）

　　「我4點前將招標書送咗啦……」我話說到一半就已經被掛斷電話！

　　之後我覺得好委屈，特登出去幫佢哋送急件，之後都要俾人話，就忍唔住同阿姐講番頭先嘅情況。阿姐聽完，就語重心長咁同我講：「因為份招標書好重要，而且佢都會驚你趕唔切送到，其實你送完文件之後，過去簡單交代一聲，就可以令佢安心啲，仲可以避免頭先嘅情況發生，係咪？主動Follow-up仲會令你嘅表現更加分！」

　　聽完阿姐解釋之後，雖然心有不甘，但都覺得佢講得有道理，唯有下次做好啲啦！

## 唔好做 Yes Man

　　可能我初出社會工作，一副社會新鮮人的青澀模樣，加上身處的部門又係咩都關事嘅行政部門，所以好多同事都鍾意搵我──幫手做嘢。因為通常都係幫手做一啲好小嘅事，所以好少 Say No，做到就做，但原來喺我嘅無所謂之下，會將一啲非份內事嘅工作變成真正的份內事。

　　話說有次因為 Reception 同事請咗大假，我就要幫手坐接待處，咁啱 Marketing 同事 Kelly 匆匆忙忙拎咗一堆信出嚟，一見到就同我講：「呢啲信趕住畀梅姨攞出街寄，

但我仲有文件趕住交，你可唔可以幫手貼郵票？」我見信唔算多，就應承幫手。

如是者，連續幾日Kelly都拎住一堆信叫我幫手貼郵票，直到有一天，佢拎住一堆信，目測有二十幾封，然後好順手咁將啲信遞俾我，說：「呢啲信要寄。」Kelly講嘢嘅態度已經冇晒之前叫人幫手嗰種客氣，反而係一種理所當然嘅態度，好似貼郵票係我嘅份內事。

我心中覺得有啲唔妥，但又唔敢出聲，正當諗住要硬食呢份差事嗰陣，阿姐咁啱行出嚟搵我。佢望住我準備貼郵票嘅動作，問：「點解係你貼嘅？」我就將呢幾日幫手貼郵票嘅事同阿姐講，阿姐聽完就臉色一沉行開咗。

隔咗一陣，阿姐出番嚟，同我講：「貼郵票唔係你嘅份內事，幫手一兩次冇問題，但我留意到呢幾日都係你幫手貼，但佢自己又唔係好忙，點解要你幫手貼？」我好無奈地望住阿姐，說：「我諗住舉手之勞幫下手……」。「做吓做吓就會變成你嘅份內事！下次有咩唔妥要出聲！」最後阿姐都講到嬲嬲地，叫我下次唔係乜嘢都做咗先，唔妥就要先同佢講。

其實我都唔想做Yes man，只不過係唔識點Say No……

# Part 3
## 人事篇

對住同事嘅時間仲長過對屋企人，關係唔好啲點得呀！

## 同事收風嘅目標

　　記得初入職時，阿姐對住「職場白紙」嘅我講咗句 Admin 守則：「把口要密。」畢竟一些人事調動，或者公司新措施在未正式公佈前也不可與外界透露，相熟同事問起也絕不能說。

　　公司有好多年紀相近嘅同事，平時都會約埋食飯，有時放假有活動都會叫埋我參加，關係都算唔錯。有次，公司有幾個同事會調 Team，而且會調動座位到新 Team。我哋都大概知有邊幾個同事會調 Team，但因為未落實詳情，

所以未正式出通知，但風聲總是傳得很快。

有日，我收到平時都熟嘅同事 Momo 嘅短訊，開初都是閒話家常，但很快就轉入正題。

Momo：「遲啲係咪會安排我哋調位呀？」

我：「未知呀。」

Momo：「咁會有幾多人會調 Team 呀？」

我：「阿姐未同我講呀。」

我嘅回覆令 Momo 都問唔落去，因為佢都知再問都唔會收到料，所以佢都好識趣冇繼續問。

其實呢類「同事八卦」嘅事成日都會發生，我都明白八卦之心人皆有之。雖然有時係啲小事，但說話出咗口就收唔番，傳咗出去就有機會成為我嘅過失，為免出差錯都係口密啲好。

把口要密！
我做得到！

44

遲啲係咪會安排我哋調位呀？

未知呀。（知都唔話你聽）

咁會有幾多人會調 Team 呀？
（不死心繼續問）

Shhhhhhhh

## 員工卡睇到扮睇唔到

　　每個同事入職都會有張員工卡，因為出入辦公室都需要用張卡，所以每次入職時我都會叮囑同事好好保管，因為唔見咗係要賠錢。

　　記得個陣有班 Intern 入職，咁佢地個個都係啱啱學校走出嚟入社會做嘢，所以成日都一班人柴娃娃咁出入辦公室，仲成日大大聲講嘢，已經惹到我阿姐好唔高興，有幾次仲叫我提吓佢哋注意聲量。

有次我同阿姐食完飯，行返埋位嘅時候見到地下有張員工卡，一望個名原來係 Intern Peter。咁我就執起咗張卡諗住俾番 Peter，呢個時候，阿姐細細聲同我講：「收埋佢。」

我滿面疑惑咁望住阿姐，跟住佢繼續講：「唔好咁快畀番佢，要畀個教訓佢！」

啊！原來要整鬼佢。咁我就將張員工卡俾咗阿姐保管。

當我行出位做嘢個陣，迎面遇上愁眉苦臉嘅 Peter，佢一見到我，即刻行上前細細聲同我講：「唔好意思呀，你有冇見過我張員工卡？我唔小心整唔見咗。」

Peter 一臉擔心咁望住我，我差啲脫口而出頭先執到佢張卡，但最終我都係同佢講：「如果有人執到你張卡，應該會畀番我哋行政部，你不如去問吓阿姐佢哋有冇見到？」Peter 一聽到要直接問阿姐已經樣都變埋，因為上次佢哋太嘈所以俾阿姐召入房鬧，睇嚟都怕咗佢。

無奈阿姐已經同我落咗「聖旨」，要「睇到扮睇唔到」，所以我都係幫唔到 Peter。

當我處理好文件嘢，行返埋位個陣，由遠處已經聽到阿姐把高八度嘅聲：「今次你好彩有人執到張卡，下次冇咁好彩㗎啦！」Peter 好乖咁回應：「係！我會好好咁保管

好張卡㗎啦。」當我同 Peter 擦身而過時，見到佢臉上慌張嘅表情，都覺得佢有啲慘。

（奸笑）

阿姐做咩事喺到奸笑？

唔好意思呀，我唔小心整唔見咗張員工卡。

今次你好彩有人執到張卡，下次冇咁好彩㗎啦！

## 人事篇

### 老屎忽之唔畀熄冷氣

公司嘅冷氣機雖然都唔少，但由於風口位分佈關係，辦公室依然會有溫差嘅情況出現。即係某位同事坐正冷氣機下面，對正風口位，自然凍到要著幾件褸；而另一位同事就距離風口位坐得比較遠，所以要開到個冷氣好勁先感受到涼意。通常呢種情況下，同事間要互相遷就下，將個溫度調較到合適度數，咪可以解決到件事，但現實邊會咁順利，如果遇著對方係老屎忽就更加難處理。

我剛入職嘅時候，阿姐就帶住我逐個介紹畀同事認識，而行到 Marketing 部門嗰陣，阿姐細細聲同我講：「一陣你見到有個人唔多理我哋，唔駛介意，佢係咁樣。」果然，阿姐介紹緊我嘅時候，隔離幾個同事都面向我哋，唯獨係有一個女人目無表情，繼續做自己嘢。事後先知道佢喺 Marketing 嘅阿頭——Kimmy 姐，佢係公司嘅開國功臣，由公司十幾人做到宜家百幾人，而且老闆好重用佢，因為係老闆身邊嘅紅人，所以平時唔多睬人，唔會點同 Marketing 以外嘅同事傾計。因此 Kimmy 姐畀人一種冇咩禮貌、生人勿近嘅感覺，個個都唔敢得罪佢。

　　有日，我喺到做緊嘢個陣，Keep 住聽到後方隔一陣就傳嚟「啪」的聲音，正當我忍唔住要起身睇吓邊個喺到玩冷氣之際，見到 Kimmy 姐起身好大力咁一下開番冷氣，然後瞪咗頭先熄冷氣嘅同事一眼，就坐低咗。同事可能俾 Kimmy 姐嘅怒氣嚇親，唔敢再熄冷氣，唯有著多兩件褸「頂硬上」。之後聽同事講番，原來 Kimmy 姐好怕熱，所以成日將冷氣開到最凍，而坐佢附近嘅同事好慘，經常要忍受「寒冬」，但又唔敢熄冷氣，只能默默忍受，而上次點解有同事夠膽熄冷氣？因為佢喺咩都唔知嘅新同事！（宜家都唔敢熄啦！）

## 人事篇

### 咩都投訴一餐

入職場前，都有喺電視睇過「辦公室政治」好難搞，
而通常引起事端都係女人，因為女人好鍾意投訴……

我初入職嘅時候，阿姐有叮囑過老闆身邊的「紅人」
大秘書，份人都幾鍾意投訴，同佢哋夾嘢要醒定啲，唔好
界人有位入。由於行政部要成日要同佢哋夾嘢，所以大家
都經常接觸，一開始小妹覺得秘書都冇傳聞中咁串嘴同麻
煩，都幾有禮貌，慢慢就放下戒心……咁咪出事囉。

話說有一次，秘書同我哋講部 Printer 印唔到文件，

咁我就 Call 師傅上嚟整。師傅到咗之後，就帶佢去秘書間房開始整部 Printer。師傅開始整之前，我見秘書們每個都好忙碌咁做嘢，好似打緊仗咁，我就叫師傅快手啲。好快師傅就整完部機，原來係入面個滾筒磨損咗要換，咁我將個情況話番畀秘書聽，之後就返埋位。

剛返到位，就聽到阿姐講電話，佢話：「因為佢仲新，好多嘢都唔識，所以唔知整之前要通知聲你，我會同佢講番㗎啦。」我突然心感不妙，唔通講緊我？

下一秒阿姐已經捉咗我入房，嘆氣地問：「頭先整機前係咪冇同秘書講聲？」我搖頭。阿姐繼續講：「頭先佢打嚟投訴你呀，話你整機前冇通知聲佢，帶人入去前又冇講聲先，如果印緊啲機密文件畀外人見到咁點算。」

「咁我見到佢哋個個都好忙，個個都講緊電話，部 Printer 又冇人用，我咪叫師傅開始整囉……」我邊有諗到咁都投訴一餐？

除咗呢件事，仲有之前佢個位上面嘅光管燒咗，冇知會一聲就換、出面垃圾袋滿咗冇人換、同事將水樽周圍放冇擺好等等，「紅人」都會打畀阿姐投訴。

久而久之，我覺得「紅人」應該係太得閒，先有咁多時間計住每件事，再每隔幾日打嚟行政部投訴……

## 人事篇

### 上司之間嘅暗湧

　　我留意到，在辦公室裡越是看似友好的上司們，背後越是多暗湧。

　　話說 Marketing 同 Sales Team 關係都幾密切，除咗大家成日工作上有接觸，加上大家在搬 Office 前坐埋喺同一間房，每日都見得最多同最密，所以兩個部門的同事中午會成日一齊食飯，感情都幾好。但自從搬 Office 後兩個部門分開坐，小妹覺得兩個阿姐嘅感情大不如前。

　　聽同事講，有次老闆要申請一個 Project，先交咗份表

畀 Sales team 阿姐，之後要 Pass 畀 Marketing 阿姐處理埋餘下嘅事項，先算完成晒整個申請程序。聽聞 Marketing 阿姐一早已定好要畀表嘅 Deadline，但 Sales Team 阿姐遲遲未交到，仲不停呻老闆畀咗好多新 Job 佢哋做，最後遲咗俾 Marketing 阿姐，令到佢要開 OT 完成之後嘅手續，先趕及在截止日期前交。阿姐對於佢遲交份表又唔儘早通知好不滿，大家亦因此事而開始變得不合，慢慢雙方之間都少咗來往。

上司之間嘅唔妥，做細嘅就當然唔關事啦，但要維持與雙方的關係要好有學問。聽 Sales Team 同事講，有時大家唔同部門嘅同事約食飯，明知佢哋唔妥，但都會例牌問下兩邊阿姐去唔去，但出唔出席就唔關佢哋事啦。

你咁得閒，幫我做埋呢份喇！

人事篇

## 千奇百趣公司便服日

相信每間公司都有自己嘅衣著規定，我間公司就有服裝規定：星期一至四係 Smart Casual，星期五先可以著 T 恤、牛仔褲返工。

每逢 Happy Friday 都會好像以前學校嘅便服日咁，睇到同事嘅另外一面。平時恤衫打呔嘅男同事們會著 T 恤、牛仔褲返工；平時好端莊嘅秘書姐姐會著波衫返工。

小妹曾經遇過一位好惹火嘅女同事，每逢 Friday 都必穿上迷你小短裙返工，無論好天定落雨、Office 幾凍都好，

都照樣堅持，而嗰位女同事都係男同事們星期四必討論嘅話題之一。

　　每逢佢喺辦公室的走廊經過，我哋都會擔心佢會走光、更擔心走廊兩側的男同事們能不能專心工作！因為她的裙都是短得很誇張，只能剛好遮蓋著臀部，動作大啲的都會「走光」。

　　由於過於惹火，所以傳到老闆都知！為了「整頓」辦公室的良好風氣，以及讓男同事們可專心工作，最終，由我們行政部阿姐出了一封電郵給她，說明星期五的 Dress Code 應有的準則，她才稍為收斂。

　　沒有迷你小短裙這道「辦公室的迷人風景」，當然最失望的就是公司的男同事啦！

老闆畀份人工你，一半係畀你做嘢嘅，一半係畀你受氣嘅！

## 人事篇

## 被迫走的同事

職場中是存在着各式各樣小圈子的,若一個新人入職,但部門內一早已有小圈子而你又融不入去,結局會是如何?

有次秘書部門增添人手,請多咗一個幫手,新秘書叫Cammy。眾所周知,有女人的地方就有小圈子,雖然秘書部門人數不多,但也無阻小圈子的滋生。

聽阿姐講,以往都因為內部嘅小圈子是非而令不少新人頂唔順而遞信辭職。因此,當 Cammy 加入這個部門,

我們也很好奇佢頂唔頂到落去。

　　開頭的第一個月都見佢哋相處得好融洽，無論食飯定放工都一齊，大家都好落力咁教新同事工作上嘅事。

　　但事情慢慢發生變化，到 Cammy 就嚟做滿第三個月嗰陣，原本三個一齊食飯，宜家得 Cammy 自己一個人食，放工亦冇一齊走。有次我經過走廊，被 Cammy 捉住咗，佢拎住份文件問我可以點處理。小妹望咗份文件一眼，係關於秘書部投標嘅文件，疑惑地望向她並說她應該問番自己部門同事。Cammy 眼泛淚光咁望住我，不說一言就轉身離去了。

　　不久，就收到 Cammy 嘅辭職信。之後聽阿姐講，可能係俾人迫走，因為其他人專登唔教佢點做投標嘅文件，搞到文件做錯晒，所以俾老闆照肺。最後，因孤立無援又無人幫忙下，壓力太大而辭職了。

　　這不禁令人感嘆良好的同事關係在職場上是多麼的重要！幸好自己部門對搞小圈子興趣不大，所以大家專心做事，少是非！

2.1

人事篇

## Probation 前後的樣子

大部分新同事入職至過完 Probation 都係正正常常嘅，但係我就遇過一個「奇女子」，Probation 前後的落差非常大！

Marketing 的新同事 Sugar 人如其名，給我的第一印象是笑容甜美且很有禮貌，雖然剛入職不久，好快就同部門嘅同事打好關係。有次 Sugar 仲拎咗包日本手信請我哋部門食，我哋都覺得佢份人幾親切人同幾識做人。

日子一天天地過去，好快就過咗三個月，Sugar 由原

本唔熟公司架步，到宜家自己負責嘅工作都慢慢上軌道，而 Sugar 的臉孔也一天天地改變。

原本成日笑住同同事打招呼的 Sugar 開始變得冷漠，唔多理睬身邊嘅同事，有時仲會扮聽唔到人講嘢！啲八卦同事同我講，有時在走廊上遇到會扮睇你唔到，直行直過；Sugar 同人講嘢嘅語氣亦不再親切。

之後 Sugar 好似回歸本性，完全變咗另一個人，連我阿姐都驚嘆佢嘅演技，因為佢對住老闆同其他同事會係兩個樣！當 Sugar 向老闆匯報時，當初甜美的樣子會再重現，而對住其他同事就會回歸冷漠本性。

我不禁慨嘆佢係咪人格分裂？

你是旦同我搞掂佢，但你知我要求㗎！

**人事篇**

## 特立獨行嘅神奇同事

公司有位 Sales 同事叫 Coco，我覺得佢好鬼型，會接觸到佢係因為有部分行政事佢之前幫手做，宜家請咗行政小妹之後就可以將工作正式撥歸行政部做。

Coco 都幾大隻，又成日黑口黑面，每日見到佢都係黑衫黑褲，直頭由頭黑到腳。未接觸 Coco 真人之前，已從我阿姐口中預知佢係一個咩人：「Coco 份人比較直，講嘢比較直接，但其實個心冇嘢，好做到嘞。」因為要交接工作嘅關係，我要成日同 Coco 接觸，到正式接觸時佢

果然係如阿姐所說嘅好有性格。

　　有次全公司食開年飯，我要預出席人數，例牌要同每Team人Confirm人數。通常出席唔到都係因為請咗假，就好少有返工都唔嚟，而嗰嗰就係Coco。

　　「我不嬲都唔去呢啲飯局，唔駛預我，我唔會去。」Coco講得好決絕。之後聽同事講番，原來之後老闆娘見佢冇去食開年飯，都有關心佢點解唔嚟，仲買咗件蛋糕請佢食。而Coco就直接謝絕老闆娘嘅好意，將蛋糕畀咗隔離位同事，搞到老闆娘好無癮。

　　點解咁串都可以生存到？我都有好認真咁研究過呢位同事，發現Coco除咗個人真係好惡死之餘，工作能力的確幾強，連我阿姐要求咁高都有讚佢做事十分有條理、好多事都處理到，所以形成咗咁特立獨行嘅佢。

大佬，你邊位呀？無人應份幫你㗎囉！

## 人事篇

# 炒人前的風平浪靜

「阿 Ken 啲表現唔多掂，佢上頭諗住炒佢。」我阿姐同我講。

公司所有同事的入職、離職手續都會經行政部處理，所以公司有人事變動我們會是第一批人知道。

通常這些資訊是上司間才會知，所以我們行政部即使知情亦要扮不知情，直至炒人行動開始時才把一切文件準備好並迅速處理。

我望一望坐我不遠處的阿 Ken，佢係應屆畢業生，喺

公司先做了 4 個月，點解咁快要炒佢？

我忍唔住細細聲問阿姐，阿姐話：「你見唔見佢成日坐喺位到瞓覺？」我點頭，平時出入公司都會留意到阿 Ken 比起同期新人係最得閒，其他新人好忙咁成日出去開會，唯獨阿 Ken 可以好悠閒咁坐喺到、玩吓手機，原來係被人投閒置散！

阿姐繼續講：「佢阿姐好唔滿意佢，話佢好懶，成日都唔做嘢，做又做錯，又冇責任心，已經準備炒佢。記住唔好透露出去！」

俾人炒同自己離職嘅分別之處在於公司最後出嘅 Reference Letter 上面會寫得清清楚楚，俾人炒當然好影響之後嘅出路，到底佢阿姐係有幾唔鍾意佢先唔想同佢好離好去？

不知是阿 Ken 終於意識到自己的處境，還是有人通風報訊，佢喺俾人炒之前遞咗辭職信。當小妹同佢處理離職手續時，見到阿 Ken 落寞嘅眼神，不禁提醒自己要努力工作，職場如戰場，若在工作上不能達標或表現不好，就會「他朝君體也相同」！

點解佢成日都好似唔駛做嘢嘅?

突然有一日

準備阿 Ken 嘅離職手續,記住唔好向外透露!

(受驚嚇)咁突然嘅?

(消息總是傳得很快)不久後就收到 Ken 的辭職信了。

# Part 4
# 痛苦篇

一入職場深似海～

## 廁所塞咗都關我事？

　　雖然我係剛投身行政這一行，都知道事無大小事，總之無人認領嘅「工作」扐畀 Admin 就對了，但冇諗過連通渠佬都要做埋⋯⋯

　　公司係內置男女廁所，對同事而言就係去廁所好方便，唔駛行出公司門口。而對行政部嚟講，就係要管多一個地方，包括廁所清潔得乾唔乾淨、換紙巾、買清潔液、抽氣扇清潔、廁所門壞咗都關你事。

　　廁所多人用，就自然好易壞，最常出現問題就係洗手

盆排唔到水，而淤塞通常離不開兩個原因：同事嘅頭髮同抹手嘅紙巾。呢個問題已經唔係新鮮事，所以廁所入面隨處可見「要有公德心」嘅標語。

我最初都幾抗拒處理廁所嘅問題，但有時清潔姐姐唔喺到，因為職責所在我都要去處理。有次，同事又行嚟通傳廁所又塞咗，但今次唔係塞洗手盆，而係男廁嘅坐廁！

阿姐同我一齊入去男廁個陣，嗰位男同事就開始講解點塞法，仲好似有倒湧嘅跡象！呢個時候，阿姐好似「神打上身」咁，拎起地下個通渠泵，毫不猶豫咁一下泵落個馬桶到，我見到有啲液體濺出，即刻後退幾步，但阿姐毫不在意，繼續用力泵。「咕嚕咕嚕」，經阿姐不遺餘力咁泵「水」之下，終於聽到水聲，阿姐通渠成功！

阿姐邊洗手，邊同我講：「嘩，今次我教咗你點通，下次廁所塞咗到你通啦。」可能我個樣出賣咗不情願嘅諗法，阿姐就補多句：「Admin 就係要處理呢種事，怕就做唔到。」

係咪我太天真？其實真係冇諗過廁所塞咗都關我事，仲要負責通埋渠！亦令我重新審視自己啱唔啱做Admin……

**痛苦篇**

## 加紙好難咩？

　　如果公司面積大，通常都唔只得一部影印機，而會有好幾部大大細細嘅影印機放喺唔同嘅地方。由於公司每日用紙量都幾多，所以有個地方係專放 A4 紙。而我嘅日常事務就係要每日檢查影印機有冇紙，冇晒就要幫手加紙。而影印機附近都會預早放一箱 A4 紙，用晒啲紙同事都可以自己加。

　　雖然加紙呢個動作好簡單，但唔係個個同事都願意動手做。

有次我正處理水深火熱嘅事，就係有份文件趕住出畀個客，正當我處理完，要行出座位衝出去畀速遞員嗰陣，同事 Lucy 行過嚟截停我：「我哋個邊嘅 Printer 冇晒紙啦，你幫我哋加番啦。」突然俾人截停，一聽之下仲係加紙咁小嘅事，由於要分秒必爭交文件，我好快咁指咗前面個櫃再同佢講：「嗰到有新嘅 A4 紙，你可以自己拎去加紙。」就急急腳行咗出去。

當我終於處理完送件嘅事之後，行返埋位之際，「我哋要印嘢呀，點解你咁耐都仲未加紙。」Lucy 行過嚟我哋部門，語帶責怪咁對我講。

「咦？你唔係急住印嘢？」我好奇一問。

「係啊，但加紙你哋行政部負責㗎嘛。」Lucy 好理直氣壯咁講。我聽完真係倒吸一口氣，心諗加紙好難咩？當我正想出聲嘅時候，「如果急住用就自己加紙，影印機隔離有一箱 A4 紙，如果用晒先嚟搵我哋。」身後響起阿姐把聲。Lucy 見阿姐出聲，都唔敢再叫我加紙，就好無癮咁出番去。

之後阿姐講番，原來佢平時都留意到 Lucy 十分公主病，平時都好鍾意叫啲新同事做嘢，頭先聽到佢洗人唔駛本都忍唔住出聲！

痛苦篇

## 人格分裂的清潔阿姐

　　話說有次清潔阿姐梅姨因而屋企有事要請一個月假，為咗維持公司清潔，我哋要請個 Part-time 清潔阿姐頂住先。由於佢淨係會返半日，加上公司面積都大，所以每日要喺一個上午清潔晒所有單位，都幾辛苦同忙碌。我都明白每日要清潔咁多地方，冇可能日日都高水準同超乾淨，只要不是偷懶得太過份，都會隻眼開隻眼閉。

　　對於清潔阿姐每日要做啲咩清潔，我哋一早已有共識，例如：每日要吸塵、抹玻璃、會議室枱、同事枱面、電話等等。

公司有部咖啡機，清潔阿姐每逢一、三都要清潔部機同埋加咖啡豆。有次同事同我講咖啡機冇晒豆，望一望月曆，係星期一，即係清潔阿姐應該今日要加豆。

　　行去 Pantry 見到裝豆嗰位空空如也，咁就叫咗清潔阿姐過嚟，問佢加咗豆未？佢支吾以對，一開始話加咗，我指一指個吉樽，好明顯佢冇加到豆。清潔阿姐突然間開始發癲：「加豆唔係我加，唔關我事，你自己加。」我見佢咁激動，都嘗試同佢講：「你冷靜啲先。」但清潔阿姐依然失控咁喺到嘈，我見同佢傾唔掂數，索性直接同阿姐講。

　　最後，要阿姐出馬先可以冷靜到人格分裂嘅清潔阿姐，亦清楚話佢聽加豆係佢嘅職責。之後阿姐講番，留意到呢個清潔阿姐成日講大話、冇做話有做，又成日偷懶。我哋忍了一個月後，終於等到梅姨番嚟，還 Office 一個潔淨的環境！

# Part 5
# 爆樽篇

**27**
**爆樽篇**

## 弊傢伙，訂錯咗！

話說有天上午，辦公室風平浪靜，冇突發事情發生。我望一望待辦清單上嘅事項，好有信心今天能把工作全部 KO，然後準時收工。

突然見到老闆好快咁行咗入嚟，聽到：「佢哋後日會到香港，幫我安排地方畀佢哋住。」然後就走開咗。

接著就係阿姐的呼喚：「小妹你過一過嚟。」

原來老闆有朋友由外國嚟咗香港，所以要阿姐幫佢訂荃灣的遠東絲麗酒店，而阿姐就將呢個 Task 交咗畀我負責。

好彩我都識用酒店網站格價和訂房，好快就整咗個比較價錢嘅 List 畀阿姐過目。因為老闆朋友住嘅時間唔短，所以分開兩段日子訂會價錢抵啲。阿姐睇完覺得無問題之後，我就好有效率完成咗訂房和付款嘅手續。

一切都進行得好順利和迅速，我就懷住興奮嘅心情等收工。

臨近收工之際，阿姐問：「你有無打去同酒店確定訂房？」

「我有收到酒店嘅電郵確認。」我一邊回答一邊打開電郵找酒店訂房確認郵件。

咦？兩封電郵的下款分別係遠東絲麗酒店、荃灣絲麗酒店？

「弊！Book 錯咗一間！」突然覺得頭腦一片空白，不禁驚叫一聲。

我無諗過有兩間絲麗酒店，網上訂房時見到「絲麗酒店」就直接下訂，而老闆要的是「遠東絲麗酒店」。

我知道酒店付了款就不能退，但都要硬著頭皮打去酒店訂 Agent「求情」，不然我就會被罵了！

起初職員都係講公式化的說詞：「根據我們的規定，付了款就不能退。」

「唔得呀，你一定要退到畀我，如果唔係我老闆會追殺我㗎！佢會叫我由 19 樓跳落去㗎！」我懷著非退不可嘅心，好誇張咁講大佢。

該職員應該從未聽過客人如此激烈嘅言論，聽完都呆一呆，就：「我要問一下主管。」

我就焦急地等待中，收到 Agent 的電話，終於在極力「哀求」下，成功退回款項！

唉，所以做嘢要小心啲先得。

覺得唔對路就好出聲，唔係要我吓吓驗眼咁逐隻字同你跟呀！

## Double Confirm 的重要性

相信每間公司每年都會安排大清潔,我間公司就每年都會大清潔一次,而通常都會安排在星期六,務求在不影響同事工作下完成清潔工作。

每次大清潔都需要有我們部門的人輪流當值,工作包括:負責安排清潔工作、夾老闆時間、睇當天有沒有活動、確定清潔日期,再出電郵畀全公司嘅同事等等。

由於每次公司清潔的項目都不同:每兩個月抹一次全公司的玻璃、每半年洗一次地毯加滅蟲。雖然清潔公司係

已經合作咗好耐，但每次都要好清楚同佢哋確定清潔的項目，一個不小心可能就會出錯……

有次公司終極大清潔，包全部清潔項目和滅蟲，而我就夾好全世界時間、出了清潔電郵給全公司。由於今次清潔當值是另一位同事 Betty，所以我就 Brief 畀佢聽當清潔當天需注意事項，就打算 Close File。

當天收到 Betty 電話，話今次無滅蟲，我一聽之下嚇到即刻打畀清潔公司問清楚咩事，原來清潔公司「以為」我今次唔駛滅蟲，而我「以為」佢知道今次係公司終極大清潔，大家都冇再次核對每一項清潔項目，咁就出咗事啦！

最後，只能再次安排清潔公司來滅蟲，而重新安排意味著要再做一次安排清潔的前期工作，過程中當然俾好多同事埋怨啦，同埋俾阿姐鬧咗一鑊……而這次錯誤亦教訓了我做事不可掉以輕心，也明白 Double Confirm 的重要性。

**爆樽篇**

## 協調的學問

公司成日都會內部調位，而行政部係負責協調轉位等安排，而每次調位要顧及的事情都好多，調位前要先協調同事調位的時間、移動的順序、問同事是否需要紙箱把文件先裝好，調位後又要同 IT 夾轉電腦、電話線等工作。

之前我都係跟住阿姐每個步驟咁去幫手，未試過獨立一個人負責，今次阿姐決定放手畀我自己負責成個調位的工作。

其實安排同事調位最難就是協調各同事的時間，因為

坐位通常是互相調動，即是說 A 同事搬咗，B 同事才能「入伙」，加上有些同事會外出開會，所以在開展調位行動前要先和同事確定移動時間，之後會整合成一個調位時間表，再電郵給牽涉到的同事和老闆，務求讓整件事公開及透明，代表大家都知道要調位的時間，免卻不必要的爭吵。

今次我總共要負責 15 個人嘅調位，好快就問晒同事確定時間，之後就出咗個通知電郵，以為咁就完成了。

過咗一陣，阿姐召咗我入房。

阿姐手上拎住我今早出嘅電郵，問：「我見你分咗兩個時段調位，上午係 5 個同事調位、下午係 10 個同事調位。你覺得一個下午可以調晒 10 個同事？」

「我問晒啲時間，如無意外，一個同事需要半小時，所以應該冇問題。」我理所當然地回答。

阿姐靜咗一秒，答：「OK，咁照你講法去做。」

咁我就懷住滿滿的信心開展我嘅調位大行動！

調位當天，竟然甩晒轆！一早叫晒同事們 Pack 箱但都冇理，佢哋要移位先開始整理，導致後面時間大受影響，最後係用多一天的時間先將所有位子調好。

原來阿姐早已洞悉我嘅安排會出事，但都畀我照去。

「你就是這件事的負責人，每個環節都要考慮，你

應該想清楚整件事的流程，包括當中需要幾多時間、文件 Pack 好晒未你都要預先去 Check。」阿姐好嚴肅咁同我講，我聽完當然係無地自容啦！

呢件事令我明白到凡事諗多兩步的重要性，之後亦不敢太大意了。

你可唔可以同我解釋吓，人頭同豬腦，點解可以溝得埋？

**爆樽篇**

## 「送水」處理上嚟都唔簡單

　　水機，係每間公司都必備嘅嘢，而處理水機同埋水嘅安排就要好細心同諗多幾步先得。

　　由選擇水機開始講起，水機有分上流式或座地式，即是換水樽的位置是在上方還是下方；而座地式也有分蒸餾水機還是接管式，接管式飲水機需要接駁自來水喉，需要考慮水機附近有沒有水源、公司大廈的儲水缸隔多久洗一次。而蒸餾水機則要考慮水樽放喺邊，要搵一個地方既可放到訂咗嘅水，近水機而唔阻住同事嘅地方。另外係用完

嘅吉樽放邊？通常吉樽都係會放番公司儲物室，但同事通常會無視水機嘅 Memo：「換完請放回儲物室」，換完水就算數，隨手將吉樽放一邊，而老闆見到咁樣，通常都係怪行政部冇處理好（總之咩都入晒 Admin 數），所以我要經常留意有冇吉樽隨地放，有嘅就要快快手收走。

至於送貨方面，水係逢一、三、五送貨，由於訂水係要前一日訂，加上截單時間係下午四點，所以每次訂水都要計數，預多一、兩支做後備，諗住實冇事啦，但通常個天都係要畀你爆下鑊先識成長。

有次颱風前夕，我如常地按照平時嘅數量訂水，去到星期二水剛好還有一支時，聽同事話星期三好大機會掛 8 號風球！突然驚覺如果打風的話，明天就不會送水，咁水咪唔夠飲？

於是當人人都在祈求打得成風，小妹就默默祈禱唔好掛 8 號風球，咁就唔會擔心無水飲。

結果上天並沒有聽到小妹的禱告，最後都係掛咗 8 號風球，成功放咗一日颱風假。

最後水都係唔夠飲，要臨時去超市買住支水頂住先，雖然同事都明白係打風令到無水送，但阿姐都有訓示我做事唔夠細心，下次再犯就要出警告信！

Pantry 常見情況：

1. 冇晒水又唔想換水

唔想換水，扮睇唔到先。

咦？水機好似冇水。

2. 水樽亂咁放

而結果係……

我唔要見到啲吉樽周圍擺！

老闆

唔關我事喍！

# 後記

不經不覺，Admin 小妹嘅生涯好快就做咗幾年，而我亦由最初幾乎隔幾日就爆鑊，到宜家爆鑊嘅次數少咗，即使遇到突發嘅事情，都唔會太慌失失，可以冷靜處理咗佢。

但日復一日咁處理辦公室嘅雜事，令我好像看不見自己的未來，亦消磨了生活的熱忱，做 Admin 小妹好像不是自己想追求的人生……總是覺得欠缺了生活的熱情，對自己理想的追求！（熱血）到底自己追求的人生是什麼呢？我思索了很久，其實心中早已有答案，但心中一直忽略這個埋藏在心中很久的答案……

我的工作日常
（這不是靜止畫面）

9am

　　毅然轉換職場軌道的小妹，離開熟悉的日常軌跡，決心轉戰設計這個新領域！

　　到底設計的日常是不是泡杯咖啡、畫一下圖就收工了？唔好咁天真啦！事實上係設計稿改完又改，改完再改……常常轉眼間已是晚上，時間過得好快。

　　雖然工時長，但可以喺工作上發揮自己嘅創意，見到自己設計嘅完成品實物，嗰份滿足感就咩都抵番數！

5pm

終於收工，
好幸福呢～

9pm

# 感謝篇

　　做夢也沒想過會出書的我，竟然出了人生的第一本書！作為一個做到爆肝的設計師，我這本書也是畫到爆肝啊！一邊返工、一邊在工作的夾縫下趕書，有時還要畫到沒有靈感……最後能夠完成及出版，還真覺得是個奇蹟！

　　在這裡也要感謝身邊支持我的家人及朋友！當初突然由Admin 小妹轉行做設計師，這個突然的轉變也是嚇壞不少身邊人！感謝家人總是無限支持我做的每一個決定，讓我沒有包袱及顧慮做自己想做的事！感謝身邊支持我的朋友，總是一見到我就問：「你本書出咗未？」讓沒有靈感而停工的我也不好意思起來，在無形壓力之下，加快我完成此「處女作」的進度！

　　最後是感謝我的熱血總編及同事！給予我這個珍貴的機會出版這本《Admin 小妹職場爆樽手記》，更在百忙中給了不少意見給我！讓我做得更好！

　　多謝大家對小妹的支持！

畫畫畫～

## 畫畫的意義是
## 靈感的盛載，情緒的出口！

記得從小就鍾意拎住支筆周圍畫，畫到屋企周圍都係。因為天生多愁善感，所以對生活總是有很多感受，而畫畫就可把生活中的開心、有趣、憂傷的情緒，透過畫筆表達出來。

然而在職場庸庸碌碌、日復一日的工作，開始消磨了對畫畫的熱情，只剩下朝九晚六的職責，之後更因工作忙碌而放下畫筆。突然有一天，為了讓自己的人生更有意義及重拾對畫畫的熱情，於是我決定將自己嘅畫作 Post 在 Instagram 上，同其他人交流下自己嘅作品！（作品請看後頁）

# Admin小妹 職場爆樽手記

作者
Manda

出版
超媒體出版有限公司

香港總經銷
香港聯合物流有限公司

電話
(852) 3596 4296

傳真
(852) 3003 3037

上架建議
流行讀物

出版日期
2019 年 7 月

ISBN
978-988-8569-82-3

Printed and Published
in Hong Kong

版權所有．不准翻印

多謝收睇！